Méchant Minou

★ CONTRE ★
ONCLE MAURICE
CHICANE DANS LA CABANE

Méchant Minou

★CONTRE★
ONCLE MAURICE
CHICANE DANS LA CABANE

Nick Bruel

Texte français d'Hélène Pilotto

Éditions
SCHOLASTIC

Catalogage avant publication de Bibliothèque et Archives Canada

Bruel, Nick

Méchant minou contre oncle Maurice : chicane dans la cabane / auteur et illustrateur, Nick Bruel ; traductrice, Hélène Pilotto.

Traduction de: Bad Kitty vs. Uncle Murray.
ISBN 978-1-4431-2642-7

I. Pilotto, Hélène II. Titre.

PZ23.B774Meb 2013   j813'.6   C2013-900175-1

Édition publiée par les Éditions Scholastic,
604, rue King Ouest, Toronto (Ontario) M5V 1E1.

5 4 3 2 1   Imprimé au Canada   139   13 14 15 16 17

À Neal

• TABLE DES MATIÈRES •

• CHAPITRE 1 •

LE PARADIS DES CHATS

BIENVENUE, MINOU!

Bienvenue au Paradis des chats. Ici, tout se mange! La **NOURRITURE** est partout... et elle n'attend que ton bedon!

Les montagnes sont faites de croquettes. Les arbres sont en saucisses et en bacon. Des boîtes de nourriture surgissent de terre et le sol est couvert d'herbe à chat.

Vas-y, Minou! Mange! MANGE! Tout est à toi! Les rochers sont faits de dinde et d'abats. La terre, c'est du thon, et les rivières charrient des torrents de sauce à la viande.

Et le plus merveilleux, c'est que tu es SEUL ici! Il n'y a personne d'autre. Pas de chien pour t'embêter. Pas d'humain pour te donner un bain. Personne. Juste toi.

Attention, Minou! Ne touche pas à cette boîte.
À l'intérieur, il y a un foie de poulet géant.

OH, NON! TROP TARD! Le foie de poulet géant va tomber! Attention, Minou! ATTENTION!

OUPS!

Excuse-moi, Minou. J'espère que je ne t'ai pas réveillé en posant ma valise.

C'est bien ça, Minou. On part en voyage.
On sera absents quelque temps.

Mais non, pauvre Minou! Tu ne peux pas venir avec nous. Toi, tu restes ici avec Toutou.

Ne le prends pas comme ça, Minou. On ne sera partis qu'une semaine. Et quand on reviendra, on aura une BELLE GROSSE SURPRISE pour toi!

Mais oui, Minou. **UNE BELLE GROSSE SURPRISE!** Tu aimes les surprises, pas vrai?

Tu ne seras pas seul toute la semaine. Quelqu'un va rester avec Toutou et toi. Il va vous nourrir et prendre soin de vous durant notre absence.

Tiens, ce doit être lui!

Où est passé Minou? Bon... Au moins, Toutou montre un peu d'enthousiasme. Il veut savoir qui sonne à la porte.

Ah, te voilà, Minou! Tu ne viens pas saluer ce bon vieil oncle Maurice?

Aaah! Ça, c'est un bon chien-chien, ça!

VIENS PAR ICI
QUE JE TE CROQUE
TOUT ROND ET QUE JE TE
DÉCHIQUETTE AVEC MES
GRANDES DENTS
POINTUES!

Pourquoi tu me regardes avec cet air-là, chat bêta?

MONONC' MAURICE, LE CURIEUX

CERTAINS CHATS ONT PEUR DES GENS. POURQUOI?

Je me posais justement la question.

« Peureux comme un lièvre », dit le dicton et pourtant, il aurait très bien pu dire « peureux comme un chat »! En effet, tout le monde sait que le chat est un animal méfiant de nature. Pour lui, la peur est un moyen de survie très précieux.

Un chat pèse en moyenne que 4,5 kg. Imagine comment tu te sentirais si tu habitais avec quelqu'un qui était presque VINGT FOIS PLUS GROS que toi! C'est ce qui se passe quand un chat domestique vit avec un être humain. Alors, avoir d'excellents réflexes devient vital afin d'éviter qu'on lui marche dessus ou qu'on s'assoie malencontreusement sur lui.

CHAT : ENVIRON 4,5 KG

GROS BONHOMME À L'AIR SIMPLET, AUTEUR DE CE LIVRE : 84 KG

TANT QUE ÇA? CE LIVRE SEMBLE ME GROSSIR.

Il arrive qu'un chat développe une peur excessive des humains. Cela peut se produire quand un chaton grandit sans jamais côtoyer de gens. Cela peut aussi arriver si un chat ou un chaton a vécu une expérience négative avec un humain.

Mais je suis un bon gars, moi! Je ne ferais pas de mal à une mouche, encore moins à un chien ou à un chat, bêta ou pas.

Cela n'y change rien. Tout naturellement, un chat va écouter son instinct, qui lui dicte d'être prudent en présence des êtres humains, surtout les étrangers. La meilleure façon d'habituer un chat à ta présence, c'est d'être patient, doux et calme avec lui. Surtout, ne t'offusque pas de sa réaction.

Un dernier conseil... Épargne-lui les bruits forts et soudains. Les chats détestent ça.

Pas de bruits forts et soudains. Parfait! Non mais, pour qui me prenez-vous? Tout le monde sait ça!

Au revoir, oncle Maurice! Merci de prendre soin de Minou et de Toutou pendant notre absence. Bonne semaine!

Ah, oui! Il faut pousser très fort sur la porte pour la fermer correctement. Sinon, elle risque de s'ouvrir.

D'accodac! Salut! Amusez-vous bien!

• CHAPITRE 2 •

SAUVE QUI PEUT!

Tu sais, Toutou, la meilleure chose à faire maintenant, c'est de s'asseoir, de se détendre, d'avaler une bouchée et peut-être même de regarder un peu...

41

Ah, bravo! À présent, je dois trouver de quoi nettoyer ces dégâts.

Abruti de gros bêta de chat… se prendre pour un coussin… me causer une frousse du diable… me faire renverser mon dîner… provoquer des mégadégâts… et maintenant, je dois trouver un torchon alors que tout ce qui m'intéresse, c'est…

44

SAINT-SALSIFIS! Ce gros bêta de chat a un don pour les catastrophes!

Je vois... Tu fais semblant d'être
un chiffon à présent, chat bêta!
Ne me crie pas après. Ne crie pas.
Ne crie pas. Ne crie pas. Ne crie pas...

CRR

Tout ce que je voulais, c'était m'asseoir,
me détendre, avaler une bouchée et
peut-être regarder un peu la télé.

Tout ce que je voulais, c'était m'asseoir,
me détendre, avaler une bouchée et
peut-être regarder un peu la télé.

Tout ce que je voulais, c'était m'asseoir,
me détendre, avaler une bouchée et
peut-être regarder un peu la télé.

Tout ce que je voulais, c'était m'asseoir,
me détendre, avaler une bouchée et
peut-être regarder un peu la télé.

• CHAPITRE 3 •

PENSÉES FÉLINES

ZZING!

DEUX MINUTES PLUS TARD...

SANS NOURRITURE NI EAU. LE MONSTRE RÔDE TOUJOURS AVEC SES GROS PIEDS. LE CHIEN EMPESTE.

DÉJÀ CINQ JOURS. LE CHIEN EMPESTE TOUJOURS ET IL EST LAID. IL BAVE BEAUCOUP. J'AI TELLEMENT SOIF. JE POURRAIS BOIRE SA BAVE... NON. MIEUX VAUT ME LAISSER DÉVORER PAR CE MONSTRE.

ENCORE COINCÉ ICI. PLUS D'UNE SEMAINE.
LE MONSTRE EST SILENCIEUX. LE CHIEN
EST TOUJOURS LAID ET PUANT. LE MONSTRE
DÉVORERA PEUT-ÊTRE LE CHIEN ET PAS MOI.

PLUSIEURS SEMAINES SE SONT ÉCOULÉES. J'AI TELLEMENT FAIM. JE DOIS MANGER SINON JE VAIS **MOURIR!** LE MONSTRE VA LE REGRETTER. TANT PIS POUR LUI. LE MONSTRE EST AUSSI NIAISEUX QUE LE CHIEN.

TELLEMENT, TELLEMENT FAIM! LE GROS CHIEN NIAISEUX, LAID ET PUANT EST PARTI. LE MONSTRE A DÛ LE MANGER. BIEN. HEIN? JE VOIS UNE ~~DÉCILIEUSE~~ ~~DEUSILIEUSE~~ BONNE CUISSE DE DINDE.

JE RÊVE OU QUOI?

59

61

ONCLE MAURICE CONTRE-ATTAQUE

Hum... Ça n'a pas l'air si mauvais, ce truc.

66

MINOU TOUTOU

69

Tu sais, Toutou, quand j'étais petit, j'avais un chien qui te ressemblait beaucoup. C'était un bon chien, lui aussi.

Je l'avais baptisé Sam. Je l'avais trouvé dans une ruelle près de chez moi. Il était perdu et affamé. Il était tout blanc avec des taches noires sur la tête et sur une patte arrière.

Je lui avais lancé la moitié de sandwich qu'il me restait de mon dîner. Eh, monsieur! Tu aurais dû le voir! Il était tellement content d'avoir enfin quelque chose à se mettre sous la dent. On aurait dit qu'il n'avait rien mangé depuis un an! Ce n'était pourtant que du saucisson. Sans moutarde, en plus!

J'ai pris ma ceinture et j'en ai fait un collier et une laisse. Je pensais que Sam refuserait de me suivre, mais non! Il a jappé joyeusement et m'a léché la main tout le long du trajet jusqu'à la maison.

Mais il y avait un problème. Ma mère m'interdisait de garder Sam à la maison à cause des allergies de ma petite sœur. Ça devait être vrai, parce que ma sœur est encore allergique aux chiens aujourd'hui.

J'ai proposé à ma mère de garder Sam dans ma chambre, mais elle m'a dit que ce n'était pas une solution. Elle avait raison.

J'ai donc dû me résigner à faire la seule chose possible dans un cas pareil : j'ai conduit mon petit Sam à un refuge pour chiens. Là-bas, ils l'ont nourri et ont pris soin de lui.

Les gens du refuge étaient vraiment gentils avec Sam. Il avait une cage pour lui tout seul et il profitait de la compagnie des nombreux chiens du refuge. Mais le plus chouette, c'était que les gens du refuge me permettaient de visiter Sam chaque jour après l'école. Et c'est ce que j'ai fait!

Je suis allé le voir tous les jours. Chaque fois qu'il me voyait, il bondissait vers moi, me faisait tomber à la renverse et me léchait le visage comme pour me dire : « Sapristi, je suis content de te voir! Où étais-tu passé? »

Chaque jour, je lui enseignais un nouveau tour. Je lui ai appris à s'asseoir et à attendre. Je lui ai appris à donner la patte et à rouler sur lui-même. Je lui ai même enseigné la géographie. NO-ON! C'est une blague. Sam était très intelligent.

On s'est bien amusés, lui et moi! Mais un jour, en arrivant au refuge, j'ai trouvé sa cage vide.

ATCHOUM!

Une dame du refuge m'a expliqué qu'une famille était venue la veille, juste après mon départ. Ces gens avaient eu un coup de foudre pour Sam et avaient décidé de l'adopter. Elle m'a dit qu'ils étaient très gentils. Ils avaient promis de le nourrir correctement et de prendre bien soin de lui. Cela ne m'a pas consolé. J'ai éclaté en sanglots. On aurait dit les chutes du Niagara! Bien sûr, Sam ne vivait pas chez moi, mais c'était quand même MON CHIEN!

J'étais convaincu que je ne le reverrais jamais.

Un jour, environ un an plus tard, alors que je traversais le parc, j'ai vu une fillette qui jouait avec un chien. Il ressemblait beaucoup à mon Sam. Il était tout blanc avec des taches noires sur la tête et sur une patte arrière. C'<u>était</u> lui! Il avait l'air de bien s'amuser avec la petite fille. Je l'ai même vu faire les tours que je lui avais enseignés.

Sur le coup, j'ai eu beaucoup de peine en voyant la fillette jouer avec mon chien. <u>MON CHIEN</u>. Je les ai regardés s'amuser et j'ai réalisé que Sam était heureux. Au bout d'un moment, je me suis dit que, dans le fond, ce que j'avais toujours voulu pour ce pauvre chien perdu et affamé, assis tout seul dans la ruelle, c'était quelqu'un pour s'occuper de lui et pour le nourrir. Et c'était exactement ce qui s'était produit, non?

J'avais aimé ce chien. Ce jour-là, j'ai su que quelqu'un d'autre l'aimait tout autant.

80

81

83

MONONC' MAURICE, LE CURIEUX

LES CHATS ONT-ILS PEUR DES ASPIRATEURS?

C'est surtout le bruit intense produit par l'aspirateur qui effraie les chats, plus que l'appareil lui-même. La plupart des chats réagissent sur-le-champ à un bruit fort et soudain, comme un klaxon, un feu d'artifice ou un cri humain.

Les chats ont une excellente ouïe, encore meilleure que celle des chiens. En réalité, un chat entend trois fois mieux qu'un humain. Voilà pourquoi il entend une souris trottiner dans le gazon à dix mètres de lui. Mais c'est aussi pour cette raison que les chats supportent particulièrement mal les bruits intenses et qu'ils en ont peur.

FRRRUT

ZZZZZ... DING!

La peur des bruits forts est un autre moyen de survie des chats. Pour eux, si un faible bruit est le signal qu'une proie se trouve tout près, un bruit très fort équivaut à une sonnette d'alarme dans leurs oreilles. Une sonnette qui signifie DANGER, c'est-à-dire RIPOSTE ou PRENDS LA FUITE.

Quand un chat a peur, sa réaction naturelle est souvent de s'enfuir ou de se cacher. Mais s'il se sent piégé ou coincé, il va parfois choisir de rester immobile, pendant que son corps prend une allure inhabituelle.

D'abord, chaque poil de sa fourrure se dresse. Puis, le chat arrondit le dos en utilisant ses soixante vertèbres – les humains n'en ont que trente-quatre, en passant. Cette position le fait paraître bien plus gros : une tactique efficace pour intimider ses ennemis. Mais le signe dont il faut se méfier le plus, c'est quand un chat pointe ses oreilles vers l'arrière. Le chat adopte cette position quand il a l'intention d'attaquer, tout en voulant protéger ses oreilles très sensibles. Il s'agit d'un signal clair : il vaut mieux t'éloigner d'un chat TRÈS fâché, car il pourrait bien t'attaquer.

DANGER

GRAND DANGER

TRÈS, TRÈS GRAND DANGER

Tant pis pour les oreilles pointées vers l'arrière! Je dois attraper ce chat!

• CHAPITRE 5 •

LA CHASSE AU CHAT

*Écoutez!

ENTENDS-TU ÇA, MON VIEUX? JE CROIS RECONNAÎTRE LES APPELS À L'AIDE PLAINTIFS DE NOTRE AMI FÉLIN AU PELAGE NOIR ET À L'ATTITUDE REBELLE!

SAINT-FROMAGE, M.T.-F.! IL FAUT RÉPONDRE À UN APPEL À L'AIDE PLAINTIF!

TU AS RAISON! UNE FOIS DE PLUS, LE MONDE A BESOIN DE...

FANTASTI-CHAT

ET MAXI SOURIS

LE PRODIGIEUX RONGEUR

94

• CHAPITRE 6 •

LES MINETS
À LA RESCOUSSE

Ça y est... HAN!
Je t'ai coincé... HAN!
Espèce de... HAN! chat bêta!

SAINT-SALSIFIS! Ce gros bêta de chat s'est subitement transformé en tourbillon de poils et de griffes. Il mord et il crache!

106

MIAOU*

*Laisse-nous entrer, « CHAT » PRESSE!

116

Dehors, bande de chats bêtas! Sortez tous de la maison, «CHAT» PRESSE! Euh...

TOUT DE SUITE!!

MIAOU MIAOU*

*Laissez-moi SORTIR d'ici!

123

C'est exact! Tu as bien entendu! Dès que j'aurai franchi cette porte, je serai libre. LIBRE! Plus de chat bêta qui me crie au visage et qui dévore mes souliers. Fini de me faire mordre et griffer, et de te pourchasser dans tout le quartier. De l'autre côté de cette porte se trouve un monde vaste et merveilleux, où les chats bêtas ne se transforment pas en tourbillons poilus qui nous flanquent des coups de spatule sur la tête. Et bientôt, je ferai à nouveau partie de ce monde-là!

OUAAH

• CHAPITRE 7 •

SEUL AU MONDE

MIAOU?

135

MONONC' MAURICE, LE CURIEUX

CERTAINS CHATS CRAIGNENT LA SOLITUDE. POURQUOI?

C'est bien connu, les chats sont des animaux indépendants. En liberté, ils se débrouillent très bien seuls. Mais lorsqu'ils sont domestiqués, ils développent habituellement un lien affectif avec leur propriétaire.

On parle de lien affectif quand un chat devient très proche d'un humain et même dépendant de lui pour sa nourriture ou sa sécurité.

MIAOU?

Toutefois, lorsque ce lien est brisé, même pendant un court moment, il arrive que certains chats vivent « l'angoisse de la séparation ». As-tu déjà vu un bébé pleurer parce que sa mère avait quitté quelques secondes la pièce où il se trouvait? C'est un bon exemple d'angoisse de la séparation. Et, oui, même un chat peut en souffrir.

Si on laisse un chat seul trop longtemps, il va se mettre à miauler pour savoir s'il y a quelqu'un dans la maison, exactement comme le ferait un bébé en pleurant. Un chat peut même perdre l'appétit et

MIAOU! refuser de manger en raison d'une trop grande nervosité. Les plus angoissés iront jusqu'à s'arracher des touffes de poils.

Comme pour toutes les peurs, la solution consiste à laisser l'animal s'adapter progressivement à ce qu'il craint. Les chats peuvent s'adapter très vite à une nouvelle situation.

Si ton chat a peur de toi, reste à l'écart au début. Approche-toi de lui un peu plus chaque jour, tout en le laissant aussi s'approcher de lui-même. Si ton chat est effrayé par les bruits forts, essaie de réduire le niveau sonore les premiers temps. Puis, expose-le à des bruits de plus en plus forts au fil des jours.

Si ton chat craint la solitude, laisse-lui le temps de s'y habituer. Il va vite apprendre que tu finis toujours par rentrer. Au début, il détestera être laissé seul, mais avec le temps, il comprendra qu'il n'a rien à craindre puisque tu finis toujours par revenir.

MIAOU?

On va conclure un marché, toi et moi. Autant se faire à l'idée : on va passer les prochains jours ensemble. Peu importe ce qui arrive, je vais bien m'occuper de toi et je vais te nourrir.

En échange... que dirais-tu d'être un tout petit peu plus gentil avec moi?

Alors, qu'est-ce que tu en dis, chat bêta?
Marché conclu?

145

Hum... Quelque chose me dit que la semaine sera QUAND MÊME très longue.

• ÉPILOGUE •

Merci beaucoup, oncle Maurice, d'avoir si bien pris soin de Minou et de Toutou. Je sais qu'ils donnent parfois du fil à retordre. J'espère qu'ils ont été sages.

Poisson

Pardon? Qu'avez-vous dit, oncle Maurice?

Les poissons ne mordent pas, ne crient pas, ne vous pourchassent pas dans la maison et ne vous donnent pas de coups de spatule sur la tête. Ils se contentent de nager en rond et de faire de jolies petites bulles qui ne font de mal à personne. En plus, ils sont mignons. Mignons comme de petits arcs-en-ciel. Les poissons.

Les poissons ne mordent pas, ne crient pas, ne vous pourchassent pas dans la maison et...

Hum... Eh bien, au revoir, oncle Maurice. Et merci encore!

BONJOUR, MINOU!
T'es-tu ennuyé de nous?

HUMF

Oooooh! Nous aussi, on s'est ennuyés de toi, Minou!

HÉ! As-tu oublié la BELLE GROSSE SURPRISE qu'on t'avait promise? Tu t'en souviens, HEIN?

EH BIEN, LA VOICI!

La suite dans…

MÉCHANT MINOU
ET LE BÉBÉ

• GLOSSAIRE •
QUELQUES PHOBIES

Une phobie est une peur excessive d'objets ou de situations spécifiques. La plupart du temps, la peur est irrationnelle, ce qui veut dire que la personne qui l'éprouve n'a aucune raison véritable d'avoir peur.

Par exemple, un garçon qui a la phobie des vers de terre (la vermiphobie) n'a aucune raison réelle d'avoir peur d'eux, sinon qu'il les trouve effrayants et qu'il refuse de s'en approcher.

Environ 10 % des Américains ont une phobie… soit plus de 30 millions de personnes! Autrement dit, les phobies sont très courantes. Il ne faut donc pas en avoir honte.

Différents types de phobies sont illustrés dans ce livre. En réalité, il en existe plus de 500. En voici quelques-unes.

Agrizoophobie : la peur des animaux sauvages.

Ailurophobie :
(ou élurophobie) : la peur des chats.

Amychophobie : la peur des égratignures ou de se faire griffer.

Cynophobie : la peur des chiens.

Phonophobie : la peur des bruits forts, mais aussi des voix ou de sa propre voix.

Lilapsophobie : la peur des ouragans ou des tornades.

Monophobie : la peur d'être seul.

Olfacophobie : la peur des odeurs, bonnes ou mauvaises.

Péladophobie : la peur des personnes chauves.

Phagophobie : la peur d'avaler, de manger ou d'être mangé.

Phigérophobie : la peur d'être étranglé ou étouffé.

Tératophobie : la peur des monstres.

• À PROPOS DE L'AUTEUR •

NICK BRUEL a écrit et illustré plusieurs livres très amusants, qui lui ont valu une grande popularité auprès des jeunes lecteurs, ainsi que plusieurs prix. Dans la collection Méchant Minou, on peut citer *Méchant Minou prend un bain* et *C'est ta fête*. Il a aussi illustré l'album *Toto et Otto*.

À propos de *Méchant Minou*, des gens très importants ont dit :

• « Un des chats les plus dramatiques et les plus expressifs jamais créés à l'aquarelle. »
    — *Kirkus Reviews*

• « Fera hurler de rire les jeunes lecteurs. »
    — *Publishers Weekly*